DHA ELLIE
(MO CHARAID BIDHE EUDMHOR)
X

A' chiad fhoillseachadh ann an 2017 le Two Hoots
Chaidh an t-eagran seo fhoillseachadh an toiseach ann am Breatainn ann an 2018 le Two Hoots
roinn de dh'fhoillsichearan Pan Macmillan, 20 New Wharf Road, Lunnainn N1 9RR.

www.panmacmillan.com

1 3 5 7 9 8 6 4 2

Chaidh na dealbhan san leabhar seo an dèanamh le lìono agus collage.

A' chiad fhoillseachadh sa Ghàidhlig 2018 le Acair Earranta
An Tosgan, Rathad Shìophoirt, Steòrnabhagh, Eilean Leòdhais HS1 2SD

info@acairbooks.com   www.acairbooks.com

Tha Acair a' faighinn taic bho Bhòrd na Gàidhlig.

Gheibhear clàr catalog CIP airson an leabhair seo ann an Leabharlann Bhreatainn.

LAGE/ISBN: 978-1-78907-021-7

Clò-bhuailte ann an Sìona

MORAG HOOD

IS MISE
IALTAG

acair

IS MISE IALTAG.

Cha toil leam na maidnean.

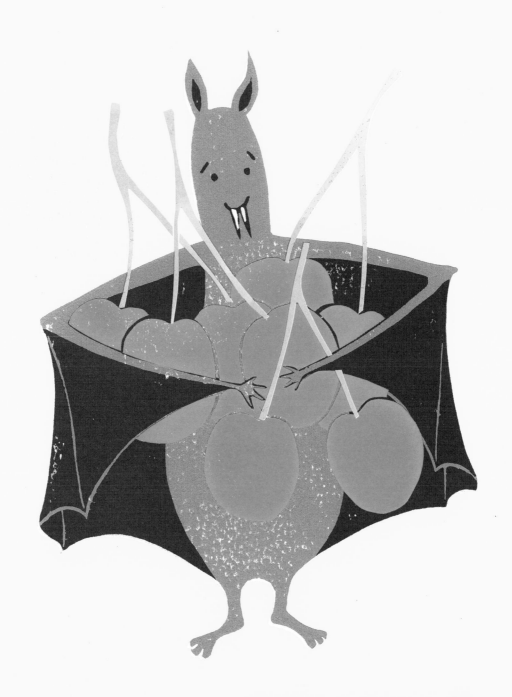

Is toil leam SIRISTEAN.

'S iad

AS MOTHA

a tha

A' CÒRDADH

rium.

Tha iad

SÙGHMHOR

agus

DEARG

agus

BLASTA

agus ...

…'S ANN LEAMSA A THA IAD.

NA FALBH

leis na siristean agam.

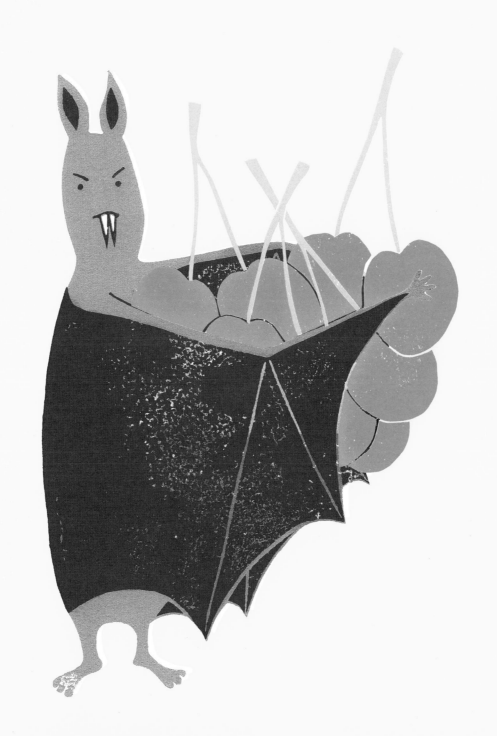

Ma dh'fhalbhas tu leis
na siristean agam
bidh mi
CROSTA.

Bidh mi **FIADHAICH** mar leòmhann.

(Ach nas lugha agus le sgiathan.)

Fàgaidh mi
na siristean
ann
an seo.

NA TÈID
faisg
orra.

BIDH FIOS AGAMSA MA DH'FHALBHAS TU LE TÈ.

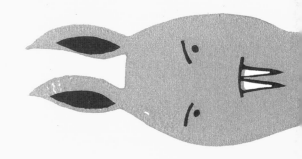

Mo

SHIRISTEAN!

Chaidh feadhainn

A GHOID.

**Càit an
deach iad?**

Cò a ghoid mo

SHIRISTEAN?

An

TUSA

a bh' ann?

MO SHIRISTEAN BOCHDA.

Cha bhi mi dòigheil
A-CHAOIDH
tuilleadh.

Mmm . . .

PEUR!

Is toil leam **PEURAN.**

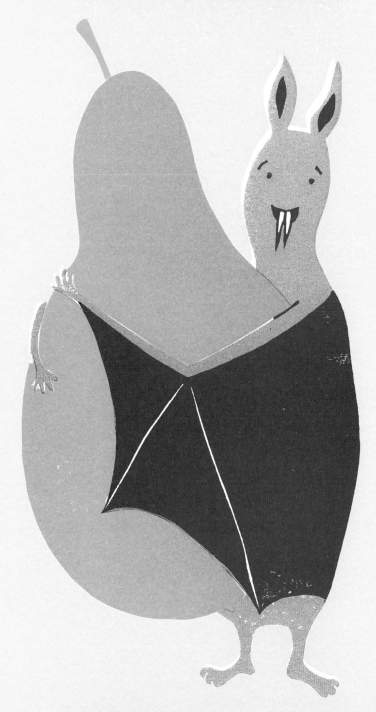

IS MISE
IALTAG.

NA
FALBH
LEIS
A' PHEUR
AGAMSA.

Reasabaidh Ialtag airson

SIRISTEAN SÙGHMHOR DEARGA BLASTA

Grìtheidean

Siristean

Dòigh-obrach

Faigh aon shirist agus an uair sin tèile.
Measgaich.
Feuch am blas.
Cuir tuilleadh shiristean ann.
Cùm sùil a-mach airson leòmhainn.
Deiseil.

Gu leòr do dh'aon duine.